# Chuchotenango

***chucho nm:* street dog**

***tenango:* from Nahuatl, the place of**

Jennifer Degenhardt

Cover Art: Camilo Mendoza

This story was inspired by the antics of Uno the cat and his animal brethren, to highlight the colonial city of Antigua and the people who care so much about the *chuchos*, or street dogs. Uno, Sasha, Sadie and Dos are all real pets that live there and have consented with tail wags and purrs to be part of this story.


ISBN: 978-1-7333464-9-8

For my friend, Joan, who loves animals.

## NOTA DE LA AUTORA

The many *chuchos* that live in Antigua, Guatemala are well cared for not only by the restaurants and other businesses that offer food and water stations on the sidewalks by their main entrances, but also by several non-profit organizations like, *Unidos para los animals* (https://unidosparalosanimales.org/) which help to care for and rehome the cats and dogs that pass through their shelters, as well as spay and neuter the dogs and cats that come to them from the streets.

*Unidos para los animals* was helpful with providing information for this story.

# ÍNDICE

## AGRADECIMIENTOS

"You should write a dog book," my friend, Tara, said once when we were in Antigua, Guatemala. "Everyone loves dogs." Everyone does seem to love dogs, so I waited for the story to come to me. Finally, it did. Thank you for the suggestion, Tara!

This story wouldn't be without the fun and often hilarious anecdotes from Joan Feutsch about her pets, Sasha, Sadie, Uno and Dos. Thank you to her and her pets for the great stories, and for allowing me to be a houseguest during the first months of the pandemic. It was during that time that I finally finished the draft of this book.

To Camilo Mendoza, *¡muchísimas gracias!* Camilo, a student artist from Jocotenango, Guatemala, is the very talented artist of the cover and interior drawings. So happy to have connected with him while I was in Guatemala!

And thank you to all of the folks involved with caring for and about the stray dogs in Antigua and in Guatemala in general. The animals are lucky to have you.

Thank you, too, to Emmaleah Vickers, the student artist who created the map of Antigua just for this book.

# Characters and Where They Live

## La casa

Uno el Gato
Dos la Gata
Sadie
Sasha

## El mercado

Timón

## Caoba Farms

Flaca
Benito

## La ciudad

Nacho

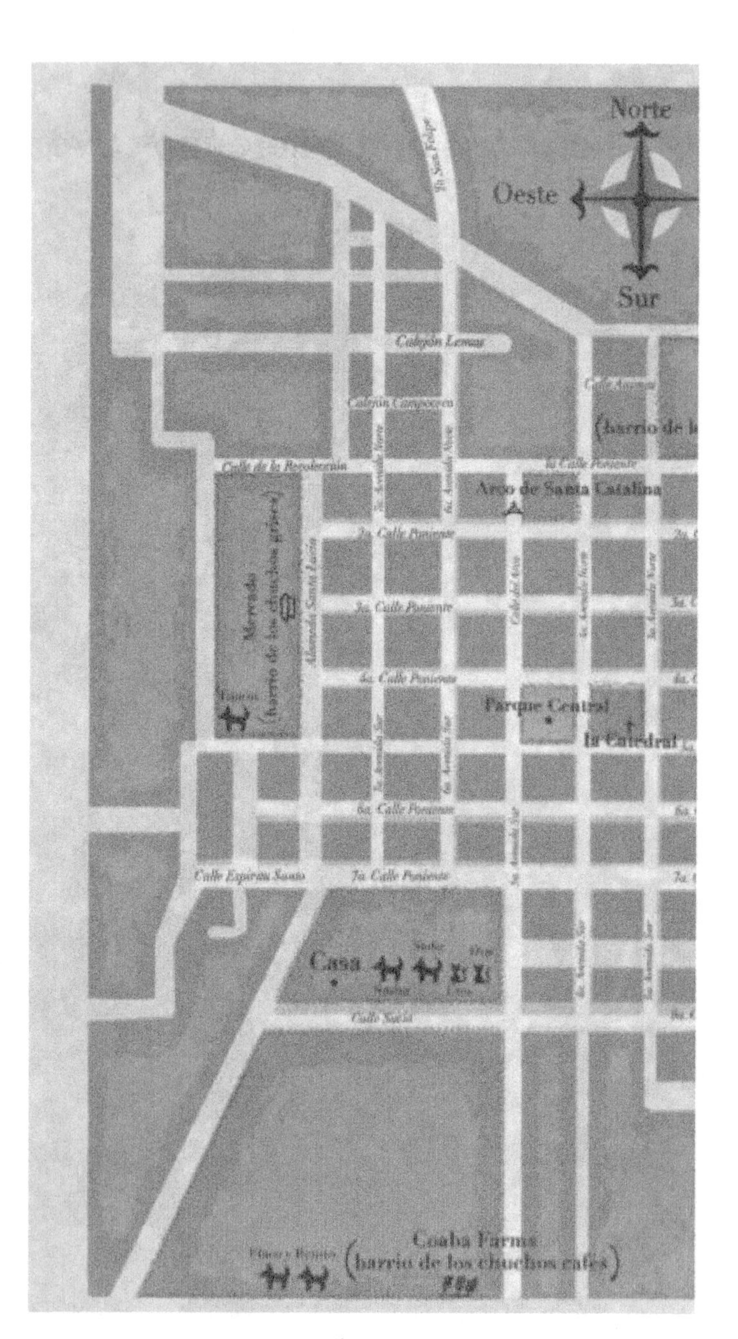
Norte
Oeste
Sur
Arco de Santa Catalina
Mercado
Parque Central
la Catedral
Casa
Coaba Farms

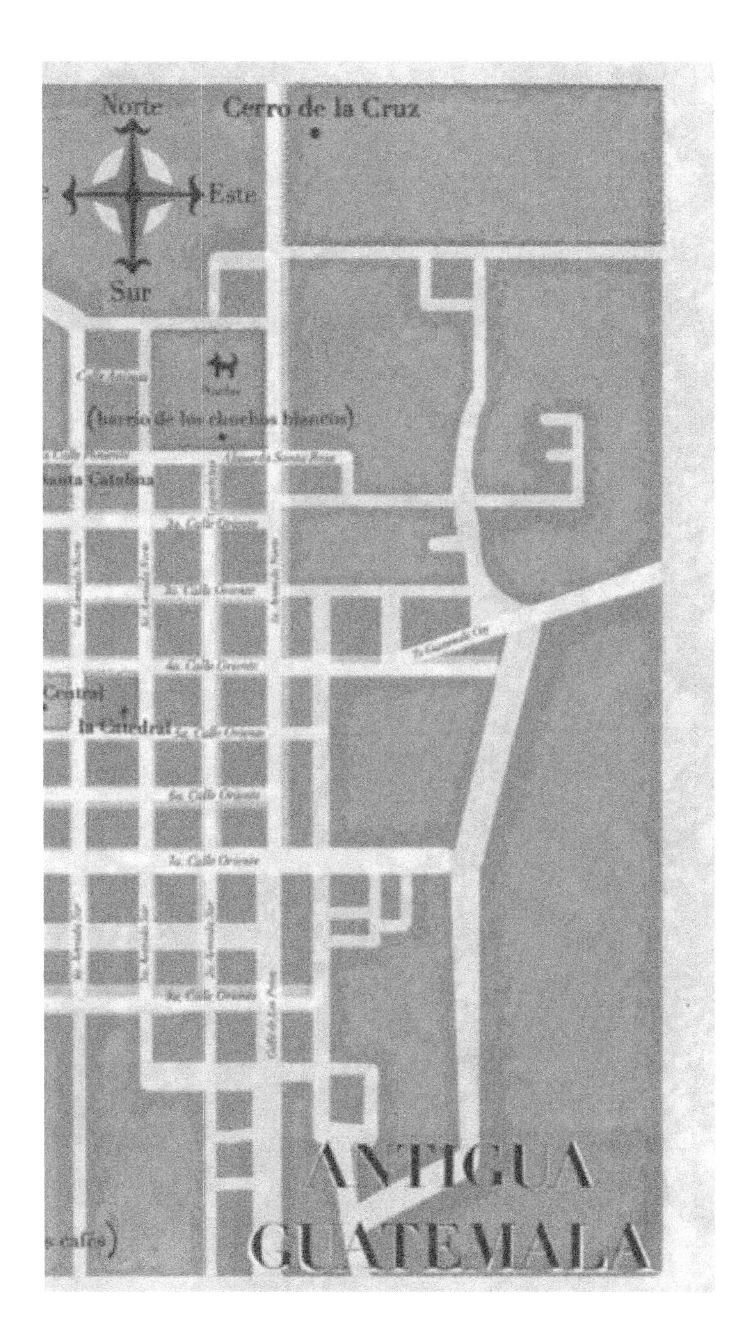
Norte
Cerro de la Cruz
Este
Sur
la Catedral
ANTIGUA
GUATEMALA

# Capítulo 1
# Uno

Buenos días. Me llamo Uno. Soy un gato. Sí, soy Uno el Gato. Soy un gato excelente. Soy completamente blanco. Tengo el pelo blanco, pero tengo los ojos amarillos y tengo la nariz rosada.

Vivo en Antigua, Guatemala. Vivo en una casa grande, con dos perras y otra gata, que se llama Dos. Soy muy importante en la casa y soy muy importante en Antigua también.

Soy un gato y hago cosas[1] de gatos: como y duermo mucho. También juego mucho con los insectos y me lavo la cara con las patas[2]. Pero soy diferente de los otros gatos, porque tengo una profesión. Sí, yo trabajo. Soy importante.

¿Qué profesión tengo? Soy criminal. Soy ladrón[3]. Cada noche, salgo de la casa y voy a otras casas. En esas casas, yo robo cosas diferentes. A veces robo comida y a veces robo ropa interior. Tengo una colección interesante de cosas que robo.

Durante el día, como y duermo en la casa. Durante la noche, estoy en las calles de Antigua. Por la mañana, voy a la casa y hablo con las perras y con Dos la Gata.

Ahora estoy aquí en la casa con las dos perras, Sadie y Sasha. Dos la Gata no está ahora en la casa.

---

[1] cosas: things.
[2] patas: paws.
[3] ladrón: thief.

—Hola, hermanas.

—Buenos días, Uno. ¿Qué chisme[4] nuevo tienes, hermano? —dice Sasha.

[4] chisme: gossip.

# Capítulo 2
# Sasha

Hablo con Uno:

—¿Hay chisme nuevo de Antigua? ¿Qué información tienes? ¿Qué dices? —pregunto.

Uno habla:

—Sasha, tú hablas mucho por las mañanas. ¿Qué quieres saber?

—¿Qué chisme tienes? Eres un gato excelente y fuerte. Tienes los ojos amarillos y la nariz rosada, y eres blanco. Me gusta tu color. Y tienes una cola[5] larga y blanca. Usas tu cola para hablar con los otros animales. Tú eres un gato importante en la ciudad.

Quiero hablar bien de mi hermano, Uno, porque necesito la información. Hablo otra vez:

—Uno, tú eres el animal en la casa con una profesión —le digo.
—Es verdad[6] —dice Uno—, yo soy importante.

Yo continúo:

—Uno, cuando tú no estás en la casa con nosotras, estás en la ciudad. Tú sales de la casa cada noche. Tú vas a los barrios y hablas con los chuchos[7]. Escuchas rumores de los otros animales de la ciudad. A veces tu trabajo es muy peligroso[8].

Quiero saber la información importante que tiene Uno. Continúo hablando:

---

[5] cola: tail.
[6] verdad: true.
[7] chuchos: street dogs.
[8] peligroso: dangerous.

—Uno el Gato, eres muy valiente[9]. Eres bilingüe[10]. Hablas con los perros y caminas por los tejados[11] de las casas para salir a la ciudad. Tú vas porque para nosotras es imposible y la información es necesaria e importante. Y tu cola...

—OK, Sasha. Gracias. Ya sé. Tú quieres chisme. Y tengo chisme para ti.

---

[9] valiente: brave.

[10] bilingüe: bilingual.

[11] tejados: roofs.

# Capítulo 3
# Uno

Hablo con mis hermanas otra vez:

—Tengo chisme para todas ustedes.

En la casa, vivo con tres animales más: Dos la Gata y dos perras. Dos es una gata blanca, con ojos amarillos y una nariz rosada también. Dos es similar a mí, pero un poco gris en la cabeza. Dos es diferente a mí. Dos no sale de la casa. Va al patio de arriba y toma el sol, pero no va a la calle. Es perezosa[12] y un poco tímida.

Las perras de la casa son diferentes también. Sasha es una perra mediana y café. Ella tiene ojos cafés y una nariz café también. Sasha es inteligente, pero habla mucho. MUCHO. Sasha es de una parte rural cerca de la ciudad. Ella es del barrio cerca de Caoba Farms.

Sadie... Sadie es una perra mediana y gris, con pelo corto y con orejas enormes. Como Sasha, ella tiene ojos cafés, pero ella tiene una nariz negra. Sadie no es inteligente como Sasha. Ella

---

[12] perezosa: lazy.

es boba[13], pero es una buena perra. Sadie no es de la parte rural de la ciudad. Sadie no es de la ciudad. Ella es del barrio de Antigua cerca del mercado.

Ahora Sasha y Sadie viven en una casa enorme conmigo y con Dos la Gata también. Las dos perras son diferentes, pero son buenas. Sasha pasa los días caminando por toda la casa. Sasha está muy preocupada por sus amigos en los otros barrios de la ciudad, especialmente por su novio, Benito. Sadie es diferente. Ella es perezosa como Dos la Gata y pasa los días en el patio de arriba.

Pero es por la mañana y es hora de hablar de la información, del chisme.

—OK, hermanas. Tengo información, pero no son buenas noticias —les digo a ellas.
—¿Qué es? ¿Qué pasa? —dice Sasha preocupada.
—Hay muchos chuchos que están

---

[13] boba: silly.

desapareciendo[14] de la ciudad cerca de Caoba Farms. Es un problema. Los chuchos de las calles están preocupados. Yo también estoy preocupado.

Sasha habla de su novio.

—¿Y mi Benito? ¿Qué hacemos? —pregunta Sasha—. ¿Qué podemos hacer?

---

[14] están desapareciendo: they are disappearing.

## Capítulo 4
## Sadie y Sasha

Nosotras somos Sadie y Sasha, las perras de la casa. Tenemos ojos cafés, cuatro patas cada una[15], colas largas y narices de colores diferentes. Vivimos en una casa grande en la ciudad de Antigua. Tenemos una vida buena en la casa.

Nosotras somos hermanas, pero somos hermanas adoptivas. Antes éramos[16] chuchas de la calle, pero ahora somos mascotas[17]. Vivimos bien en esta casa. Vivimos aquí porque la vida es buena aquí.

Durante el día, nosotras caminamos por la casa. Comemos por la mañana y por la tarde. Y claro, dormimos mucho. ¡A nosotras nos gusta dormir! Cuando no dormimos, hablamos con Dos y hablamos con Uno también, pero solo por la mañana. Nos gusta escuchar el chisme de la

---

[15] cada una: each one.

[16] éramos: we were.

[17] mascotas: pets.

calle. Tenemos muchos amigos que todavía[18] viven en las calles. Son chuchos, como el novio de Sasha. Queremos información de ellos.

Hablamos:

—¿Desaparecen? ¿¿Desaparecen?? ¿Cómo? ¿Por qué?
—No sé —dice Uno—. No sé. Voy a investigar esta noche.

---

[18] todavía: still.

# Capítulo 5
# Uno

Buenas noches. Es de noche pero no es buena, porque esta noche llueve. Es invierno aquí en Guatemala y llueve mucho. Pero necesito ir a la ciudad para investigar. Mi trabajo es importante. Mis hermanas necesitan la información y los chuchos también.

¿Dónde están desapareciendo los chuchos?
¿Qué chuchos?
¿Cómo?
¿Por qué?

Corro rápido, porque llueve mucho. Soy gato y

no me gusta la lluvia.

Pero necesito llegar al mercado.

Llueve mucho y hay unos charcos[19] grandes. Un tuk tuk[20] pasa rápido por uno de los charcos y ¡el agua!... Estoy completamente mojado[21]. ¡Ay! ¡Mi pelo!

Por unos momentos, ¡no puedo ver y no puedo caminar! Necesito tener más cuidado.

Sigo[22] corriendo al mercado. Corro rápido. No me gusta la lluvia.

A veces visito el mercado durante el día, pero normalmente lo visito por la noche. Durante el día, veo a muchas personas en el mercado. Las personas compran muchas cosas allí. En el mercado se vende:

---

[19] charcos: puddles.
[20] tuk tuk: a mechanized, three-wheeled taxi.
[21] mojado: wet.
[22] sigo: I continue.

- frutas y verduras
- carne[23]
- ropa y zapatos
- materiales para la escuela
- artesanía[24] de Guatemala

... y muchas cosas más.

Durante la noche, no veo a las personas. Pero sí veo a Timón, un chucho gris y el líder del grupo de chuchos del mercado. Está en su «casa» con otros tres chuchos grises.

—Timón, ¿cómo estás? —le pregunto.
—Hola, Uno. Estoy bien. Pero ¿cómo estás tú? ¡Estás completamente mojado! —me dice Timón, el perro gris.
—Sí. Llueve mucho. Un tuk tuk pasó por[25] un charco...
—¡A la gran![26]..., pero ¿por qué estás aquí? —pregunta Timón.

---

[23] carne: meat.
[24] artesanía: handicrafts.
[25] pasó por: passed through.
[26] ¡a la gran!: oh shoot!

—Necesito información —le digo.

—¿Qué información? —pregunta Timón.

—Necesito saber:

¿Dónde desaparecen los chuchos?

¿Qué chuchos?

¿Cómo?

¿Por qué?

Timón me mira y dice:

—OK, Uno. Tengo información, pero no son buenas noticias.

## Capítulo 6
## Timón

Hablo con Uno otra vez:

—Pero ¿quieres esta información, Uno? —le digo.

Normalmente los gatos y los perros no somos amigos, pero Uno es un gato excelente y fuerte. Y Uno quiere ayudar. Quiere ayudar a los chuchos.

—Sí. Necesito la información. Quiero ayudar. Sasha y Sadie necesitan la información. Ellas quieren ayudar. Sasha quiere ayudar a su novio, Benito. Todos nosotros queremos ayudar —me dice Uno.

—Está bien. Te digo lo que sé —le digo a Uno el Gato—. Yo recibí[27] la información de Flaca la Chucha Café del campo y de Nacho el Chucho Blanco del centro de la ciudad. Los dos tienen información similar: los chuchos cafés de Caoba Farms están desapareciendo. Tres o cuatro chuchos cada día. Es horrible. Unos oficiales llegan en carro con comida deliciosa y...

En ese momento hay un ruido[28] fuerte y Uno el Gato se espanta[29]. El gato sale corriendo[30] del mercado. Pero primero toma un pedazo de tela[31] de muchos colores...

---

[27] recibí: I received.
[28] ruido: noise.
[29] se espanta: he is frightened.
[30] sale corriendo: leaves running.
[31] un pedazo de tela: a piece of cloth.

# Capítulo 7
# Uno

Corro a la casa. Corro, porque todavía llueve. Corro al tejado, entro en la casa y camino al patio. Pongo la tela de colores en el suelo[32]. Veo que mi hermana Dos la Gata no duerme en ese momento y le digo:

—Dos, tengo información importante. ¿Dónde están Sasha y Sadie?
—Las perras duermen —dice Dos—. Es medianoche.

---

[32] suelo: floor.

—No. Son las tres de la mañana —digo.

—¡Bah! Es hora de dormir —dice.

—¿Por qué no duermes? —le pregunto.

—Estoy preocupada porque oí[33] un ruido fuerte —me dice.

—El volcán de Fuego[34] —le digo a Dos—. Nada más.

A mi hermana no le gustan los ruidos fuertes. El volcán de Fuego es un volcán activo cerca de la ciudad. Normalmente solo sale humo[35], pero esta noche hace ruido también. Es espantoso[36], porque el ruido es muy fuerte.

En ese momento Sasha y Sadie aparecen[37] en el patio con nosotros.

—¿Qué sabes, Uno? —pregunta Sasha—. ¿Sabes qué le pasó[38] a Benito?, ¿y a los otros chuchos?

---

[33] oí: I heard.

[34] volcán de Fuego: an active volcano 16 km west of Antigua.

[35] humo: smoke.

[36] espantoso: frightening.

[37] aparecen: they appear.

[38] ¿sabes qué le pasó?: do you know what happened to (Benito)?

Necesito explicar todo lo que sé.

—Timón, uno de los perros grises, me habló[39] en el mercado. No son buenas noticias —les digo—. Los chuchos cafés de Caoba Farms desaparecen. Tres o cuatro chuchos cada día. Los oficiales llegan con comida deliciosa y toman a los chuchos. Desaparecen y ya no aparecen.
—¡Oh, no! —dice Sasha—. ¡Mi Benito! ¿Qué hacemos? ¿Qué podemos hacer? ¡Tenemos que ayudar!

Dos la Gata normalmente no habla. Pero en ese momento habla con una voz seria:

—Necesitamos organizar una revolución.

Todos miramos a la gata.

¿¿Una revolución??

---

[39] me habló: (he) talked to me.

# Capítulo 8
# Dos

Soy Dos la Gata. Soy una gata excelente, pero no hablo mucho. Tengo una idea muy buena. Nosotros, los animales, necesitamos organizar una revolución.

—¿Una revolución? —pregunta mi hermano, Uno—. ¿Por qué? ¿Cómo?

—Tenemos que ayudar a los chuchos. Necesitamos protestar. Pero primero necesitamos saber exactamente lo que está pasando —le digo—. Tú tienes que ir al campo y al centro para hablar con los chuchos. Ellos tienen que investigar dónde toman a los otros chuchos.

—¿Por qué? —dice Uno.

—Necesitamos la información correcta para la protesta, para la revolución.

—Está bien, hermana. Voy esta tarde. Voy a hablar con los chuchos. Voy a explicar tu idea.

—Bien. Ahora, duerme. Tienes un trabajo muy importante, Uno —le digo a mi hermano.

## Capítulo 9
## Uno

Salgo de la casa a las cuatro de la tarde. Hace sol. Primero, voy a Caoba Farms. En el camino veo a muchas personas en motos, en carros y en tuk tuks. Las personas en las calles dicen «buenas tardes» a las otras personas. También veo a muchos chuchos en las calles.

Cerca de Caoba Farms, y cerca de una finca[40] de café, hay muchos chuchos de color café. Están en un grupo.

---

[40] finca: farm.

—Hola —les digo a los chuchos.

Flaca la Chucha Café, la perra más importante y la líder de los chuchos del campo, habla primero:

—Uno, ¿qué haces aquí? Normalmente no estás aquí hasta la noche.
—Buenas tardes, Flaca. Tengo que hablar con ustedes. Es muy importante.
—¿Hay problemas, Uno? —pregunta otro chucho.
—¿Cuántos chuchos hay en tu grupo ahora? —les pregunto.
—Somos once —dice Flaca la Chucha Café.
—¿Y la semana pasada? —les pregunto.
—Éramos quince —me dice—. Los chuchos están desapareciendo.
—¿Cómo? —les pregunto—. ¿Por qué?

Necesito la información, necesitamos saber por qué. Quiero ayudar, pero necesito la información correcta.

—Los oficiales llegan por las tardes con comida

deliciosa. Unos perros comen la comida y desaparecen en los carros de los oficiales —dice Flaca la Chucha Café.

—Es un problema —les digo—. ¿Y adónde van?

—No sabemos. Y no sabemos por qué. Estamos muy preocupados —dice Flaca la Chucha Café.

—Está bien. Voy a investigar. Ustedes son un gran grupo de chuchos cafés. Necesitamos investigar dónde están sus amigos —les digo—. Voy a hablar con los chuchos blancos de la ciudad.

—Gracias por la ayuda, Uno.

—Está bien, Flaca. Necesitamos organizar todo. Y si es necesario, tenemos que protestar. Necesitamos organizar una revolución.

—Muchas gracias, Uno. Muchas gracias —dice Flaca la Chucha Café.

—Y, Flaca, ¿dónde está Benito? Sasha está preocupada.

—Ay, Uno. Benito desapareció[41] la semana pasada —grita Flaca la Chucha Café.

—Es horrible. Necesitamos investigar y organizar todo. ¡Tenemos que protestar! Ahora

---

[41] desapareció: he disappeared.

tengo mucho trabajo. Adiós, amigos. Hablamos luego.

Corro por la calle hasta la ciudad. Paso las plantas de café, verdes con frutos rojos. El café es muy importante aquí en Guatemala. Pero los chuchos en Guatemala son muy importantes también. En ese momento veo un pedazo de tela de muchos colores. Robo la tela y sigo a la ciudad.

# Capítulo 10
# Nacho

Me llamo Nacho. Soy un chucho grande y excelente. Soy un chucho blanco. Tengo el pelo blanco, pero tengo los ojos cafés y la nariz negra. Vivo en la parte norte de la ciudad de Antigua, cerca del cerro de la Cruz[42]. Vivo con otros perros blancos en un grupo grande.

---

[42] cerro de la Cruz: a small mountain with a large cross which offers sweeping views of the city of Antigua and volcán de Agua.

Nosotros caminamos por todas las partes de la ciudad, porque necesitamos comida. Los chuchos grises —nuestros amigos del mercado– comen la comida del mercado. Los chuchos cafés reciben comida que hay para los animales de la finca. Pero nosotros..., nosotros comemos la comida de la basura[43] de los restaurantes. También comemos la comida que los restaurantes ponen en las puertas especialmente para nosotros, los chuchos. Antigua es una ciudad que ama los chuchos. Somos muy afortunados porque hay tiendas y restaurantes que ponen comida en la calle cerca

[43] basura: garbage.

de las puertas para los chuchos.

Estamos comiendo en la puerta de un restaurante cuando vemos a un gato. Un gato blanco...

—Hola, amigos —dice el gato.
—Hola. ¿Cómo te llamas? —le pregunto.
—Me llamo Uno. Soy un gato, un gato excelente. Quiero ayudar a los chuchos —dice.

A nosotros no nos gustan las interrupciones cuando comemos. Y un amigo quiere atacar al gato blanco.

—¿Necesitamos ayuda? —pregunta—. ¿Cómo vas a ayudar?
—Sí. Ustedes necesitan ayuda. Yo hablé[44] con Flaca la Chucha Café en Caoba Farms. Ella dice que los chuchos están desapareciendo —dice Uno.

En ese momento mi amigo, un chucho blanco

---

[44] hablé: I talked.

enorme, ataca a Uno el Gato. Usa su pata para patear[45] al gato.

Uno grita:

—¡Ay, no!

¡El chucho blanco quiere atacar al gato!

—¡No! —grito—. Uno el Gato es un amigo.

El chucho enorme espanta a Uno el Gato, pero Uno no se va. Es un gato muy valiente.

—Uno, ¿estás bien? —le digo.
—Sí, estoy bien. Gracias —dice Uno—. Necesito explicar el problema.
—Los chuchos de Caoba Farms desaparecen, ¿no? Es horrible. Es un problema. ¿Cómo podemos ayudar? —digo.
—Ustedes pueden ayudar. Necesitamos más información. Los oficiales toman a los perros en sus carros y...
—Es completamente horrible —digo—.

---

[45] patear: to kick, treat badly.

¿Adónde van?

—No sé. ¿Pueden investigar ustedes? —pregunta Uno el Gato—. ¿Pueden seguir[46] a los carros de los oficiales? Necesitamos investigar adónde van con los chuchos —nos dice.

—Claro. Claro. Vamos a ayudar —digo.

—Gracias. Voy a casa para hablar con Sasha y Sadie.

—Ah, ¿vives con ellas? Son muy buenas perras —digo.

—Sí. Son muy buenas —dice Uno—. Voy a casa para explicar la situación.

—Toma este pedazo de tela de muchos colores. Es un recuerdo[47] de nosotros para Sasha y Sadie —le digo a Uno.

—Gracias. Tengo otra tela aquí. Y tengo otra tela en la casa. ¡Y tengo ropa interior también! ¡Ja, ja! Las telas son de muchos colores y son muy importantes. Vamos a usar las telas —dice Uno.

—¿Cómo? —le pregunto.

—Para la revolución —dice Uno.

---

[46] seguir: to follow.

[47] recuerdo: a souvenir, a remembrance.

# Capítulo 11
# Uno

Corro a casa. En mi boca tengo las dos telas de colores. Las telas son de Guatemala. En Guatemala hay telas muy buenas. Las telas son muy importantes para las personas de Guatemala. Estas telas son de unos huipiles[48].

Llego a casa. Después de hablar con Flaca la Chucha Café y con Nacho y los otros chuchos, tengo más información para mis hermanas, Sasha, Sadie y Dos. Es de noche. Tengo las telas

---

[48] huipiles: woven and embroidered blouses worn by the indigenous women in Guatemala.

en mi boca. Las pongo[49] en el suelo[50].

—Hola, hermanas —digo.
—Hola, Uno. ¿Qué información tienes? —dice Dos.

Explico la situación:

—Los chuchos cafés desaparecen del área de Caoba Farms. Los oficiales les dan comida y luego los ponen en los carros y desaparecen. Es horrible.
—¡NO! —dice Sasha—. ¿Y mi Benito?
—Sasha, tengo malas noticias. Benito desapareció la semana pasada. Pero todo va a ir bien. Los perros blancos van a investigar —le digo.
—Y ¿cuándo vamos a tener la información? —dice Sasha preocupada.
—Mañana. Mañana por la tarde —le digo.

Ahora Dos habla. No habla mucho, pero cuando habla...

---

[49] las pongo: I put them.
[50] suelo: floor.

—¿Y esas telas que tienes? ¿Para qué son? —pregunta Dos.
—Para la revolución. Para tu revolución. Cuando recibamos la información, vamos a organizar la revolución.

# Capítulo 12
# Nacho

—Vamos a Caoba Farms —les digo a los otros chuchos—. Necesitamos investigar la situación.
—¡Sí! ¡Vamos! —dicen los chuchos.

Nosotros corremos por la ciudad. Pasamos por muchas tiendas y muchos restaurantes. Somos pocos chuchos. Necesitamos saber: ¿adónde desaparecen los otros chuchos?

*****

De camino a[51] Caoba Farms, vemos dos carros

---

[51] de camino: on the way to.

de los oficiales. Los carros no van rápido. Miramos todos los carros.

—¡Mira! ¡Los carros tienen chuchos cafés! —dice un chucho blanco.
—¡Vamos! —les digo.

Los otros chuchos blancos y yo corremos detrás de los carros. Queremos ayudar a nuestros amigos. ¿Adónde van?

—Necesitamos más ayuda. Dos de ustedes tienen que ir al mercado. Necesitamos la ayuda de Timón y los otros chuchos —les digo a los chuchos blancos.

# Capítulo 13
# Timón

Es miércoles por la tarde. No es día importante de mercado y no hay muchas personas a esta hora. Las personas con sus cartuchos[52] y otras flores[53] se van a casa. Otras personas con sus vegetales y frutas también se van a casa. No hay muchas personas.

En un instante veo a Uno el Gato y a dos chuchos blancos. ¿Qué pasa?

---

[52] cartuchos: calla lilies; a type of flower.
[53] flores: flowers.

Uno el Gato llega donde estoy yo.

—Uno, ¿qué haces aquí? Cuidado[54] con los chuchos... —le digo a mi amigo el gato.
—Necesito ir a la ciudad para hablar con Nacho... —me dice.

Ahora, los chuchos blancos con bocas muy grandes y dientes enormes llegan donde estamos Uno el Gato y yo.

—No es necesario atacar al gato —les digo—. Es un amigo.
—Ya lo sabemos. Uno vive con Sadie y Sasha. Es un gato excelente —dice uno de los chuchos blancos—. Tenemos información y necesitamos su ayuda.

Los dos chuchos blancos explican que los chuchos cafés de Caoba Farms van en carros con los oficiales y desaparecen.
—Tenemos que protestar. Necesitamos organizar una revolución. Tenemos que ayudar a nuestros amigos. Vamos al parque central en

---

[54] cuidado: be careful.

una hora —dice Uno.

—Está bien. Vamos a ayudar —le digo a mi amigo blanco.

—Gracias —dice Uno el Gato—. Voy a la casa. Sadie y Sasha van a tener que ayudar también. Gracias, amigos. Nos vemos[55] en una hora —dice Uno.

[55] nos vemos: we'll see you.

# Capítulo 14
# Uno

Corro rápido a la casa. Por suerte, Sadie y Sasha están afuera con la señora.

—¡Sadie! ¡Sasha! ¡Es necesario correr a la ciudad! ¡Es la hora de la revolución! —grito.

Sadie y Sasha son buenas perras. Me escuchan bien, y ¡corren rápido!

—¡Corran! Voy a hablar con Dos y voy a sacar las telas —grito.

Entro en la casa y hablo con mi hermana, Dos la Gata.

—Dos, es hora de la revolución.
—Claro, Uno. Buena suerte. Aquí están las telas.

La Gata Dos tiene todas las telas (¡y la ropa interior!). Las pongo en mi boca y corro otra vez a la ciudad.

## Capítulo 15
## Sasha

En el parque central vemos un grupo grande de chuchos de todos colores: blancos, grises y cafés. Todos quieren saber dónde están los chuchos cafés que están desapareciendo.

Nacho habla primero:

—Amigos, vamos a correr adonde están los chuchos cafés. Es necesario correr rápido y ladrar[56] mucho. ¡Toda la ciudad va a ver la protesta!

[56] ladrar: to bark.

Un chucho gris grita:

—¡Vamos!

Con las telas de muchos colores como banderas[57], los chuchos, Sadie y yo corremos muy rápido. Los perros corren y ladran. Corremos hacia el norte por la 5ª Avenida. Pasamos el arco de Santa Catalina[58] y llegamos al final de la avenida. Depués vamos hacia el este por la 1ª Calle Oriente. Estamos cansados. Estamos muy cansados.

Por fin llegamos a una casa grande. La casa tiene un portón[59] muy grande también. Unos carros de los oficiales entran, pero el portón se cierra[60] y no podemos entrar.

Estamos afuera de la casa grande. Nuestras narices nos dicen que hay muchos chuchos

---

[57] banderas: flags.

[58] Arco de Santa Catalina: distinguishable landmark on 5a Avenida Norte in Antigua. It originally connected the Santa Catalina convent to a school, allowing nuns to avoid the street.

[59] portón: gate.

[60] se cierra: it closes.

adentro. Hay muchos chuchos en jaulas. Pobres chuchos.

Seguimos con nuestra protesta. Ladramos y ladramos.

¿Qué más hacemos?

## Capítulo 16
## Uno

¿Qué más hacemos? Tenemos que ayudar a los chuchos cafés.

Flaca la Chucha Café habla:

—Vamos a ayudar a nuestros amigos. Vamos a protestar más. Vamos a ladrar más fuerte.

Claro, yo no ladro. Pero los chuchos ladran y protestan mucho. Son muy fuertes. Quieren ayudar a sus amigos.

Los chuchos ladran y ladran. Todos los chuchos ladran.

Con tanto ruido de los chuchos, un oficial abre el portón por fin. Sasha ve a su novio, Benito. Está en una jaula[61]. Flaca la Chucha Café dice que él desapareció hace una semana[62].

—¡Benito! —grita Sasha—. ¿Cómo estás? ¿Qué haces?
—¡Ay, Sasha, mi amor! ¿Cómo estás? —dice Benito.

Todos vemos que Benito está bien. No está mal. No está mal. Está feliz.

—Benito, ¿estás bien? —pregunta Sasha—. ¿Por qué no estás con los otros chuchos cafés?
—Sasha, mi amor, estoy bien. Estoy muy bien —dice Benito.

---

[61] jaula: cage.
[62] hace una semana: a week ago.

Pero Benito está detrás de[63] un portón en una jaula… ¿Por qué dice que está muy bien?

---

[63] detrás de: behind.

# Capítulo 17
# Timón

Sasha habla con su novio, Benito. Benito está en una jaula, pero está bien.

¿Por qué está en la jaula?

Sasha le hace más preguntas a Benito:

—Benito, ¿no estás mal? ¿Por qué no estás con los otros chuchos cafés?

Benito explica:

—Estoy aquí en un hospital. Hace una semana me operaron[64]. Ahora estoy muy bien. Voy a regresar a Caoba Farms mañana o pasado mañana[65].

¿¿¿QUÉ???

Todos los perros ladran a la vez[66]. Hay mucha confusión. Sasha habla:

—Benito, explica, por favor. ¿Qué operación?

Benito explica que la casa grande es un hospital para los chuchos. «Los oficiales» quieren ayudar a controlar el número de perros...

Sasha habla:

—¿Operan a todos los chuchos? ¿Para controlar el número de chuchos en la ciudad? ¿Es todo? ¿Vas a regresar a Caoba Farms?

---

[64] me operaron: they operated on me.
[65] pasado mañana: the day after tomorrow.
[66] a la vez: at the same time.

Benito explica:

—Sí, mi amor. No hay problema. Todos los chuchos vamos a regresar a Caoba Farms. Los oficiales son muy buenos. Comemos buena comida aquí y dormimos mucho.
—Benito, estas son buenas noticias. Estoy muy feliz. Todos estamos muy felices. Especialmente yo. Benito, te quiero —dice Sasha.
—Yo te quiero también, Sasha. Te quiero.

Todos los chuchos y los perros ladran a la vez. Pero esta vez están muy felices.

## Capítulo 18
## Dos

Después de la protesta, Sadie, Sasha y Uno llegan a la casa. Las perras ladran, pero no muy fuerte. La señora abre la puerta y entran.

Los tres están muy cansados. Sadie tiene un pedazo de tela de colores y Sasha tiene otro. Los ponen en el suelo. Uno, el ladrón, tiene la ropa interior. ¡Ja, ja!

Uno no habla. Sadie y Sasha no hablan. No dicen nada. Por fin hablo:

—¿Qué pasa, hermanos? ¿Cómo están? ¿Y la revolución? —les digo.

La cola de Sasha se mueve[67] mucho. Ella está muy feliz.

—Ay, Dos. Benito está bien. Lo tomaron[68] para operarlo[69].
—¿Lo operaron?[70] ¿Por qué? ¿Está mal? —pregunto preocupada.
—No. Está completamente bien. Los oficiales operan a todos los chuchos. Los oficiales quieren ayudar a controlar el número de chuchos. La operación es para ayudar con este control. Pero los oficiales son buenos. Dan buena comida a los chuchos y ellos pueden dormir mucho también.
—Ah, ya veo. Pero y ¿la revolución? —pregunto.

Uno habla ahora:

---

[67] se mueve: (it) moves.
[68] lo tomaron: they took him.
[69] operarlo: to operate on him.
[70] ¿lo operaron?: they operated on him?

—Tu idea de una revolución fue[71] fantástica. Todos ladraron[72] y protestaron[73] mucho. Los oficiales abrieron[74] el portón y allí vimos[75] a Benito y nos explicó[76] la situación.

—¡Fantástico! Estoy orgullosa[77] de todos ustedes —les digo—. Es importante protestar cuando es necesario. Muy muy importante.

---

[71] fue: was.
[72] ladraron: they barked.
[73] protestaron: they protested.
[74] abrieron: they opened.
[75] vimos: we saw.
[76] nos explicó: he explained to us.
[77] orgullosa: proud.

# Epílogo

Ahora, la vida para Dos la Gata es similar a la de antes. Ella duerme mucho en el patio y a veces juega con los insectos.

Sadie es todavía boba, pero ahora es más activa. Ya no es perezosa. Ella ladra cuando hay personas en la puerta de la casa y ayuda mucho a la señora.

Sasha sigue hablando mucho. Pero es buena perra y cuando la señora va en carro a Caoba Farms para comprar verduras, Sasha va con ella. Desde[78] el carro Sasha puede ver a su novio, Benito.

Después de dormir unos días, Uno continúa con su trabajo. Sale por la noche y va a ver a los chuchos del mercado, de la ciudad y de Caoba Farms, y por la mañana reporta información a sus hermanas.
Y claro, sigue tomando ropa interior. Ahora tiene una colección de muchos colores.

---

[78] desde: from.

“Chuchos” by Jocelyn Cravens & Elijah Cravens (both age 9)

# GLOSARIO

## A

**a** - to, at
**abre** - s/he, it opens
**abrieron** - they opened
**activa** - active
**adentro** - inside
**adios** - goodbye
**adonde** - where
**adónde** - where
**adoptivas** - adopted
**afortunados** - fortunate
**afuera** - outside
**agua** - water
**ahora** - now
**al** - a + el
**allí** - there
**ama** - s/he, it loves
**amarillos** - yellow
**amigo(s)** - friend(s)
**amor** - love
**antes** - before
**aparecen** - they appear
**aquí** - here
**arriba** - upstairs
**artesanía** - handicrafts
**ataca** - s/he, it attacks
**atacar** - to attack
**avenida** - avenue
**ayuda** - help
**ayudar** - to help

## B

**banderas** - flags
**barrio(s)** - neighborhoods
**basura** - garbage
**bien** - well
**bilingüe** - bilingual
**blanca/o(s)** - white
**boba** - silly
**boca(s)** - mouth(s)
**buena/o(s)** - good

## C

**cada** - each
**café(s)** - brown
**calle(s)** - street(s)
**caminamos** - we walk
**caminando** - walking
**caminar** - to walk
**caminas** - you walk
**camino** - I walk
**camino** - path, road
**campo** - countryside
**cansados** - tired
**cara** - face
**carne** - meat
**carro(s)** - car(s)
**cartuchos** - calla lilies
**casa(s)** - house(s)

**centro** - city center
**cerca** - close
**cerro** - hill
**charco(s)** - puddles
**chisme** - gossip
**chucha/o(s)** - street dog(s)
**cierra** - s/he, it closes
**ciudad** - city
**claro** - of course
**cola(s)** - tail(s)
**color(es)** - color(s)
**comemos** - we eat
**comen** - they eat
**comida** - food, meal
**comiendo** - eating
**como** - like, as
**cómo** - how
**completamente** - completely
**compran** - they buy
**comprar** - to buy
**con** - with
**conmigo** - with me
**continua** - s/he, it continues
**continúo** - I continue
**controlar** - to control
**corran** - they run
**corremos** - we run
**corren** - they run
**correr** - to run
**corriendo** - running
**corro** - I run
**corto** - short
**cosas** - things
**criminal** - criminal
**cuando** - when
**cuándo** - when
**cuántos** - how many, much
**cuatro** - four
**cuidado** - careful

## D

**dan** - they give
**de** - of, from
**del** - de + el
**deliciosa** - delicious
**desaparecen** - they disappear
**desapareciendo** - disappearing
**desapareció** - s/he disappeared
**desde** - from
**después** - after
**detrás** - behind
**día(s)** - day(s)
**dice** - s/he says
**dicen** - they say
**dices** - you say
**dientes** - teeth
**digo** - I say
**donde** - where
**dónde** - where
**dormimos** - we sleep
**dormir** - to sleep
**dos** - two
**duerme** - s/he sleeps
**duermen** - they sleep

**duermes** - you sleep
**duermo** - I sleep
**durante** - during

## E

**el** - the
**él** - he
**ella** - she
**ellas/os** - they
**en** - in, on
**enorme(s)** - huge
**entran** - they enter
**entrar** - to enter
**entro** - I enter
**éramos** - we were
**eres** - you are
**es** - s/he, it is
**esas** - those
**escuchan** - they listen
**escuchar** - to listen
**escuchas** - you listen
**escuela** - school
**ese** - that
**espanta** - s/he, it frightens
**espantoso** - frightening
**especialmente** - especially
**esta/e** - this
**está** - s/he, it is
**estamos** - we are
**están** - they are
**estas** - these
**estás** - you are
**estoy** - I am
**exactamente** - exactly
**explica** - s/he explains
**explican** - they explain
**explicar** - to explain
**explico** - I explain
**explicó** - s/he explained

## F

**(por) favor** - please
**felices** - happy
**feliz** - happy
**(por) fin** - finally
**finca** - farm
**flores** - flowers
**frutas** - fruit
**frutos** - fruit
**fue** - s/he, it was
**fuego** - fire
**fuerte(s)** - strong

## G

**gata/o(s)** - cat(s)
**gracias** - thank you
**grande(s)** - big
**gris(es)** - gray
**grita** - s/he yells
**grito** - I yell
**grupo** - group

**gusta** - it is pleasing to
**gustan** - they are pleasing to

## H

**habla** - s/he speaks
**hablamos** - we speak
**hablan** - they speak
**hablando** - speaking
**hablar** - to speak
**hablas** - you speak
**hablo** - I speak
**hablé** - I spoke
**habló** - s/he spoke
**hace** - ago
**hace** - it does, makes
**hace (sol)** - it is
**hacemos** - we do, make
**hacer** - to do, make
**haces** - you do, make
**hacia** - toward
**hago** - I do, make
**hasta** - until
**hay** - there is, are
**hermana(s)** - sister(s)
**hermano(s)** - brother(s)
**hola** - hello
**hora** - hour
**humo** - smoke

## I

**información** - information
**insectos** - insects
**instante** - instant
**inteligente** - intelligent
**interesante** - interesting
**investigar** - to investigate
**invierno** - winter
**ir** - to go

## J

**jaula** - cage
**juega** - s/he plays
**juego** - I play

## L

**la** - the, her
**ladra** - s/he barks
**ladramos** - we bark
**ladran** - they bark
**ladrar** - to bark
**ladraron** - they barked
**ladro** - I bark
**ladrón** - thief
**larga(s)** - long
**las** - the, them
**lavo** - I wash
**le** - to/for him, her
**les** - to/for them
**líder** - leader

**llama** - s/he, it calls
**llamas** - you call
**llamo** - I call
**llega** - s/he arrives
**llegamos** - we arrive
**llegan** - they arrive
**llegar** - to arrive
**llego** - I arrive
**(se) llevan** - they are taken
**llueve** - it rains
**lluvia** - rain
**lo** - it, him
**los** - them
**luego** - later

## M

**mal** - badly
**malas** - bad
**más** - more
**mascotas** - pets
**materiales** - materials
**mañana** - tomorrow
**mañana(s)** - morning(s)
**me** - me, to/for me
**mediana** - medium
**medianoche** - midnight
**mercado** - market
**mi(s)** - my
**mí** - me
**mira** - s/he looks at
**miramos** - we look at
**miércoles** - Wednesday
**mojado** - wet
**motos** - motorcycles

**mucha/o(s)** - much, a lot
**mueve** - it moves
**muy** - very

## N

**nada** - nothing
**narices** - noses
**nariz** - nose
**necesaria/o** - necessary
**necesitamos** - we need
**necesitan** - they need
**necesito** - I need
**negra** - black
**noche(s)** - night(s)
**normalmente** - normally
**norte** - north
**nos** - us, to/for us
**nosotras(os)** - we
**noticias** - news
**novio** - boyfriend
**nuestra/o(s)** - our
**nuevo** - new
**número** - number

## O

**o** - or
**oficiales** - officials
**ojos** - eyes
**once** - eleven
**operan** - they operate
**operarlo** - to operate (on) him
**operaron** - they operated
**orejas** - ears
**organizar** - to organize
**orgullosa** - proud
**oriente** - east
**otra/o(s)** - other
**oí** - I heard

## P

**para** - for
**parque** - park
**pasa** - s/he spends, passes
**pasa** - it happens
**pasada/o** - last
**pasamos** - we spend
**pasando** - spending
**paso** - I spend, pass
**pasó** - s/he spent, passed
**pata(s)** - paw(s)
**patear** - to kick
**pedazo** - piece
**peligroso** - dangerous
**pelo** - hair
**perezosa** - lazy
**pero** - but
**perra/o(s)** - dog(s)
**pobres** - poor
**poco(s)** - few
**podemos** - we are able
**ponen** - they put
**pongo** - I put
**por** - for
**porque** - because
**portón** - gate
**pregunta** - s/he asks
**preguntas** - questions
**pregunto** - I ask
**preocupada/o(s)** - worried
**primero** - first
**protesta** - protest
**protestan** - they protest
**protestar** - to protest
**protestaron** - they protested
**puede** - s/he, it is able
**pueden** - they are able
**puedo** - I am able
**puerta(s)** - door(s)

## Q

**que** - that
**qué** - what
**queremos** - we want
**quiere** - s/he wants
**quieren** - they want
**quieres** - you want
**quiero** - I want
**quince** - fifteen

## R

**rápido** - quick
**recibamos** - we receive
**reciben** - they receive
**recibí** - I received
**recuerdo** - souvenir
**regresar** - to return
**reporta** - s/he reports
**robo** - I steal
**rojos** - red
**ropa interior** - underwear
**rosada** - pink
**ruido(s)** - noise(s)
**rumores** - rumors

## S

**sabemos** - we know
**saber** - to know
**sabes** - you know
**sacar** - to take out
**sale** - s/he leaves
**sales** - you leave
**salgo** - I leave
**salir** - to leave
**sé** - I know
**seguir** - to follow
**semana** - week
**seria** - serious
**señora(s)** - woman/en
**señores** - men
**si** - if
**sí** - yes
**sigo** - I continue
**sigue** - s/he continues
**sol** - sun
**solo** - alone
**somos** - we are
**son** - they are
**soy** - I am
**su(s)** - his, her, their
**suelo** - ground
**suerte** - luck

## T

**también** - also
**tanto** - so much
**tarde(s)** - late
**tardes** - afternoon
**tejado(s)** - roof(s)
**tela(s)** - material(s)
**temenos** - we fear
**tener** - to have
**tengo** - I have
**ti** - you

**tiendas** - stores
**tiene** - s/he, it has
**tienen** - they have
**tienes** - you have
**tímida** - timid
**toda/o(s)** - all
**todavía** - still
**toma** - s/he, it takes
**toman** - they take
**tomando** - taking

**tomaron** - they took
**trabajo** - job
**trabajo** - I work
**tres** - three
**tu** - your
**tú** - you (familiar)
**tuk tuk** - a mechanized, three-wheeled taxi.

## U

**un/o/a** - a, an
**unos** - some
**usa** - s/he uses
**usar** - to use
**usas** - you use
**ustedes** - you (plural)

## V

**va** - s/he, it goes
**valiente** - courageous
**vamos** - we go
**van** - they go
**vas** - you go
**ve** - s/he sees
**veces** - times
**vemos** - we see
**vende** - s/he, it sells
**veo** - I see
**ver** - to see
**verdad** - true
**verdes** - green
**vez** - time
**vida** - life
**vimos** - we saw
**visito** - I visit
**vive** - s/he lives
**viven** - they live
**vives** - you live
**vivimos** - we live
**vivo** - I live
**volcán** - volcano
**voy** - I go
**voz** - voice

## Y

**y** - and
**ya** - already
**yo** - I

## Z

**zapatos** - shoes

# ABOUT THE AUTHOR

Jennifer Degenhardt taught high school Spanish for over 20 years and now teaches at the college level. At the time she realized her own high school students, many of whom had learning challenges, acquired language best through stories, so she began to write ones that she thought would appeal to them. She has been writing ever since.

*La chica nueva* | La Nouvelle Fille | The New Girl
*La chica nueva* (the ancillary/workbook volume, Kindle book, audiobook)
*Chuchotenango*
*El jersey* | The Jersey | *Le Maillot*
*La mochila* | The Backpack
*Moviendo montañas*
*La vida es complicada*
*Quince*
*El viaje difícil* | *Un Voyage Difficile*
*La niñera*
*La última prueba*
*Los tres amigos* | Three Friends | *Drei Freunde* | *Les Trois Amis*
*María María: un cuento de un huracán* | María María: A Story of a Storm | Maria Maria: un histoire d'un orage
*Debido a la tormenta*
*La lucha de la vida* | The Fight of His Life
*Secretos*
*Como vuela la pelota*

@JenniferDegenh1
@jendegenhardt9
@puenteslanguage &
World LanguageTeaching Stories (group)

www.puenteslanguage.com

# ABOUT THE COVER ARTIST

Hi! My name is Camilo Mendoza, an enthusiastic and extroverted youth. I don't like to stay in one place for very long. This year, 2020, I will graduate with a diploma in travel and tourism. I live in Jocotenango, a small town in the state of Sacatepéquez, Guatemala. Since I was a kid I have always loved to look at and appreciate art for its colors and all of its illusion and magic in whatever space. My passion is photography, but I also like to draw and paint. Near where I live there is a cultural community project called "Los Patojos," where I have been able to study for high school and have been able to learn other techniques related to art. In the future I aspire to be a great visual artist.

Made in the USA
Monee, IL
19 March 2021